5 PROJETOS PARA VOCÊ PLANTAR
SEUS PRÓPRIOS ALIMENTOS

Minha própria horta

Clara Billoch

Agradecemos a participação das crianças Dante Stéfano,
Catalina Arce e Francisco Arce.

Minha própria horta
5 projetos para você plantar seus próprios alimentos
Clara Billoch

Primeira edição. Segunda reimpressão.

R. Adib Auada, 35 Sala 310
Bloco C, Bairro: Granja Viana
CEP: 06710-700 - Cotia - São Paulo - SP
E-mail: infobr@catapulta.net
Web: www.catapulta.net

Ilustrações: Sol de Ángelis
Fotografias: Ángela Copello

Coordenação editorial: Florencia Carrizo
Edição: Florencia Errecarte
Tradução: Sandra Martha Dolinsky
Revisão: Laila Guilherme
Design de capas e miolo: Verónica Álvarez Pesce
Diagramação: Verónica Álvarez Pesce

ISBN 978-987-637-568-9

Impresso na China em janeiro de 2021.

Billoch, Clara
Minha própria horta : 5 projetos para você cultivar seus próprios alimentos / Clara Billoch ; ilustrado por Sol De Ángelis. - 1a ed . 2a reimp. - Ciudad Autónoma de Buenos Aires : Catapulta , 2021.
64 p. : il. ; 24 x 16 cm.

Traducción de: Sandra Martha Dolinsky.
ISBN 978-987-637-568-9

1. Huerta. I. De Ángelis, Sol, ilus. II. Dolinsky, Sandra Martha, trad. III. Título.
CDD 635.04

Feito o depósito determinado pela lei 11.723.

5 PROJETOS PARA VOCÊ PLANTAR SEUS PRÓPRIOS ALIMENTOS

Minha própria horta

Clara Billoch

SUMÁRIO

Minha própria horta

5 PROJETOS PARA VOCÊ PLANTAR
SEUS PRÓPRIOS ALIMENTOS

Um livro de horta para crianças com projetos fascinantes criados e desenvolvidos pela reconhecida paisagista e jardineira Clara Billoch.
5 projetos apaixonantes para você criar sua própria horta em vasos e plantar seus próprios alimentos.

Tomate
Alface
Manjericão
Beterraba
Morango

Que tal desenvolver um projeto que lhe permita estar em contato com a natureza? Não faz diferença se você mora no campo ou na cidade, em uma casa com jardim ou em um apartamento com varanda. Todos os projetos deste livro foram desenvolvidos para que você exerça seus dotes de jardineiro em espaços reduzidos e em vasos.

Experimente a satisfação de dividir com sua família e seus amigos os alimentos plantados em sua própria horta, com suas mãos!

Este livro traz

* UMA PÁ DE METAL
* UM RASTELO DE METAL
* UM AVENTAL
* UM PAR DE LUVAS
* CINCO PLAQUINHAS DE MADEIRA

Do que mais você vai precisar

* RECIPIENTES PEQUENOS para iniciar a plantação.
* VASOS PEQUENOS.
* VASOS GRANDES.
* UM REGADOR.
* UMA TESOURA.
* COMPOSTAGEM.
* FOLHAS DE JORNAL PARA cobrir a superfície em que você for trabalhar, seja uma mesa ou o chão.

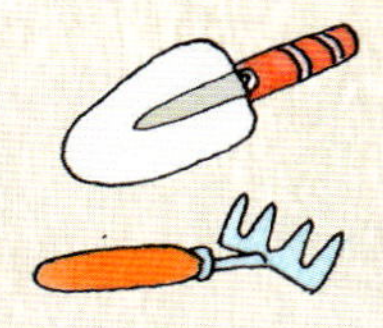

LEIA ESTAS DICAS
ACOMPANHADO DE UM ADULTO

5 MEDIDAS

DE SEGURANÇA QUE VOCÊ DEVE RECORDAR ANTES DE COMEÇAR A PLANTAR

1. Proteja sempre as mãos com luvas e lave-as cada vez que parar de trabalhar em sua horta.
2. Use somente ferramentas para crianças - as que acompanham este livro ou outras. Mas nunca use ferramentas para adultos, pois para você podem ser perigosas ou difíceis de manusear.
3. Use um chapéu ou um boné para se proteger do calor, e protetor solar para proteger sua pele do sol quando for trabalhar à intempérie.
4. Use sempre roupa apropriada: sapatos fechados (tênis ou botas de borracha) e roupa que possa sujar.
5. Quando tiver que arrastar vasos ou jardineiras grandes, peça sempre a ajuda de um adulto. Os vasos podem ser pesados, e você poderia se machucar ao tentar arrastá-los.

5 DICAS

PARA QUE SEU PROJETO DÊ CERTO

1. Leia o conteúdo geral que se encontra entre as págs. 8 e 33 antes de escolher com que planta começar.
2. Antes de começar a plantar, cheque se você tem todas as ferramentas necessárias, e não se esqueça de limpá-las e guardá-las toda vez que parar de mexer em sua horta.
3. Preste sempre atenção à data de vencimento que consta nas embalagens das sementes.
4. Siga em ordem os passos indicados para cada plantação. Assim, você garantirá o sucesso de seus projetos.
5. Regue e tire o mato de suas mudas e suas plantas segundo o indicado em cada caso.

Como é bom ser jardineiro!

A jardinagem é uma atividade que se pratica ao ar livre e em contato com a natureza. Não importa se você mora em áreas urbanas, cercado de cimento, ou se acha que não tem lugar para plantas. Elas precisam de muito pouco espaço para crescer! Você pode ser jardineiro e ter sua própria horta em vasos, seja na varanda, no jardim ou no quintal.

Você deve estar se perguntando "Para que eu vou querer ter uma horta...?", mas isso é algo que você mesmo vai responder quando experimentar o incrível sabor dos alimentos que plantar.

É uma experiência única sentir as estações passando e ver como as plantas brotam e florescem na primavera, dão frutos no verão e perdem as folhas no outono. Você vai se surpreender quando descobrir todos os insetos que trabalham na terra e no ar; alguns vão ajudar suas plantas a crescer e florescer saudáveis; outros, porém, poderão comê-las ou machucá-las. Mas, se você cuidar de suas plantas diariamente, elas mesmas vão atrair os insetos desejáveis e espantar os que não ajudam.

Antes de começar, é importante você conhecer as partes da planta.

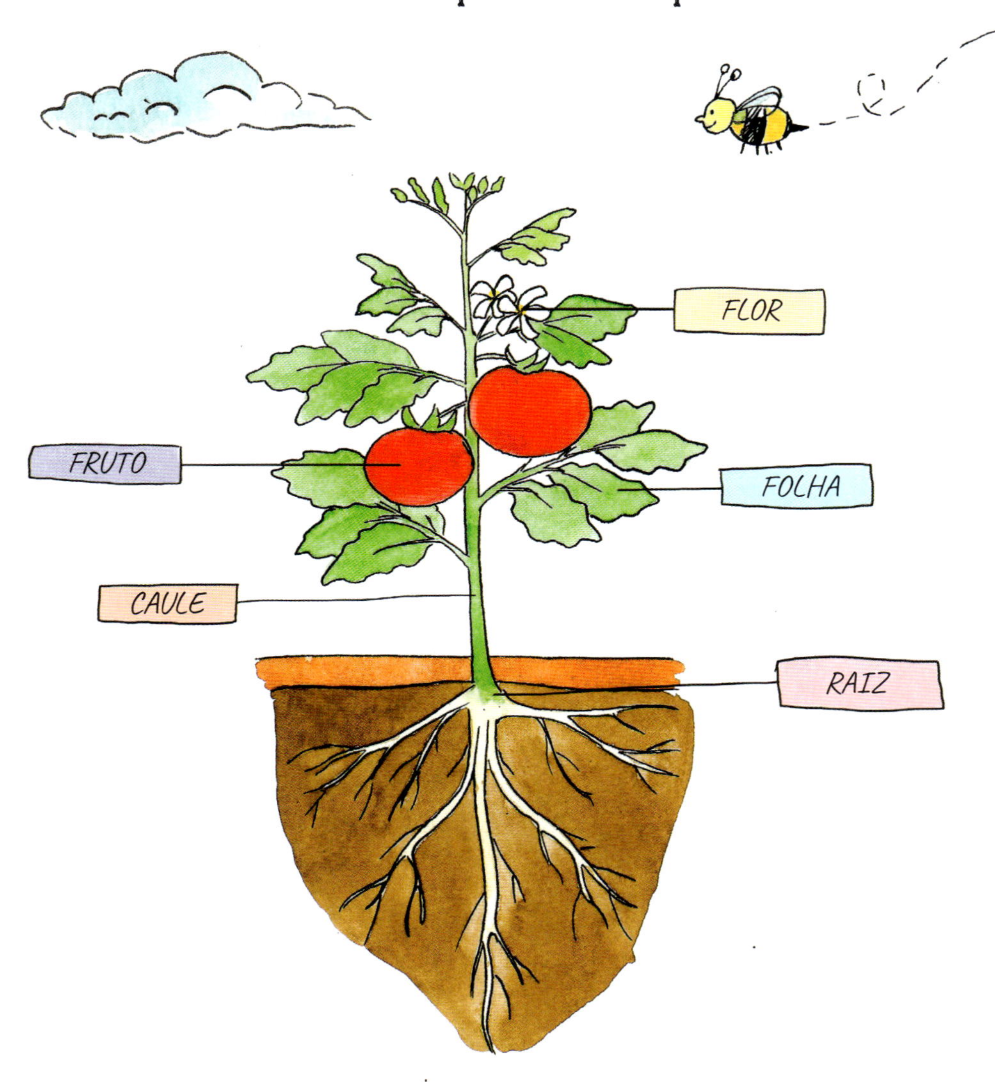

Para crescer, as plantas precisam de quatro elementos essenciais: luz, água, ar e terra.

Os nutrientes da terra são o alimento das plantas, mas, para que as raízes possam absorvê-los, as plantas precisam da água e da luz solar, que são o que lhes dá energia. Também precisam que o ar circule entre suas folhas e entre suas raízes, para poder respirar.

Do que preciso para fazer uma horta?

1

Um cantinho ensolarado e ao ar livre. Não deve ser grande demais, mas precisa contar com pelo menos 6 horas de sol ao dia.

2

Compostagem, uma terra fértil e muito rica em nutrientes que você mesmo pode fabricar ou comprar nas lojas de plantas.

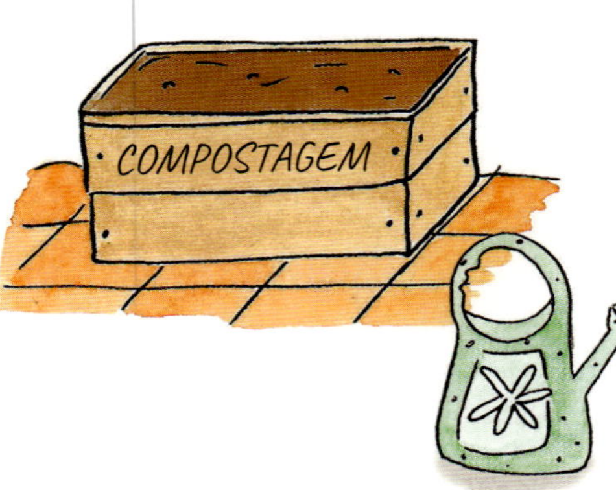

3

Você vai precisar de um regador para pôr água em suas plantas. Na pág. 25 você vai aprender a fabricar um.

4

Existem plantas de estação quente e plantas de estação fria, por isso nem todas as semeaduras podem começar em qualquer época do ano.
É importante você escolher o projeto levando isso em conta.

Plantação em vasos

Para começar, você pode usar vasos bem pequenos, ou até potinhos de iogurte vazios. Assim, você poderá levá-los para o sol ou a sombra e cuidar deles de perto quando germinarem.

Também pode usar vasos médios e plantar 3 sementes. É assim que começam os projetos deste livro.

Uma vez plantadas as sementes e com o decorrer dos dias, elas vão começar a germinar, e você vai ver os primeiros brotos das plantas.

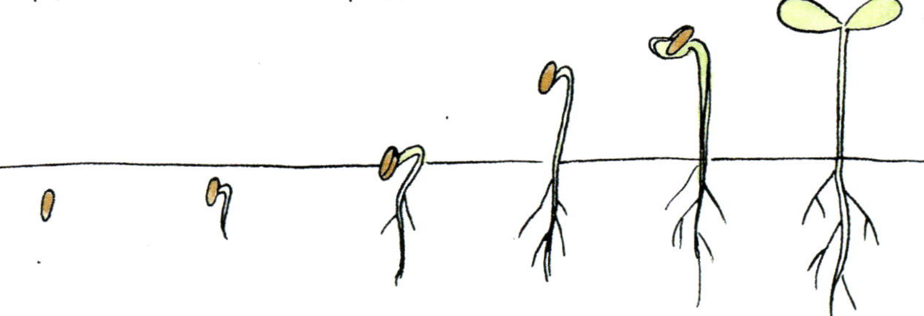

Alguns dias depois, você terá que passá-las para vasos onde tenham mais espaço para crescer.

Você pode colocar suas mudas em vasos individuais de pelo menos 30 cm de profundidade, ou várias mudas em um vaso bem grande. Deve deixar 25 a 30 cm de espaço entre cada um.

Recomendamos que você use vasos de plástico, pois conservam melhor a umidade, são mais leves e, por isso, fáceis de movimentar com a ajuda de um adulto.

Como preparar os vasos

Quando arranjar os vasos, verifique se têm uns furinhos na base. Esses furinhos serão a drenagem, ou seja, funcionarão como um coador quando você regar suas plantas, impedindo que a água da rega fique acumulada no vaso, o que faria as raízes apodrecer.

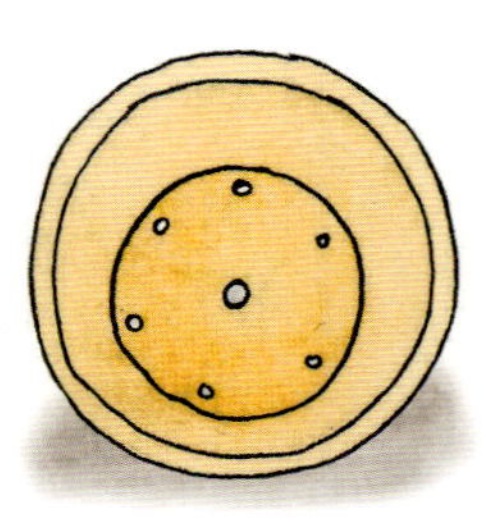

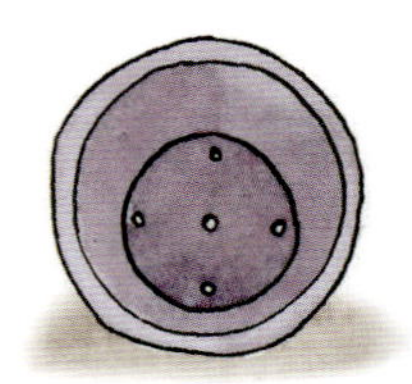

Se para começar a semear você decidir reciclar pequenos recipientes de plástico ou papelão, vai precisar fazer a drenagem, pois eles não têm furos na base.

Peça a um adulto que o ajude a fazê-los com a ponta de um prego fino ou um lápis, pressionando-o sobre a base até fazer pequenos orifícios. Se usar copos de isopor ou recipientes de papelão, será mais fácil fazer os furos.

Os vasos grandes que você vai usar já vêm com drenagem. Antes de enchê-los de terra, você deve colocar uma camada de pedrinhas na base, para que a água não fique acumulada e, ao mesmo tempo, para que a terra conserve a umidade necessária caso você se esqueça de regar.

Para encher os vasos você deve usar uma terra solta, ou seja, que se separe facilmente e não forme torrões, senão as raízes de suas plantas ficarão sem ar. Além do mais, a terra que usar deverá ser rica em nutrientes, para que as raízes possam absorvê-los e, assim, alimentar a planta.

Que terra vou usar?

Para crescer saudável, sua planta vai precisar de uma terra rica em nutrientes; por isso, a compostagem é a melhor terra que você pode lhe dar. Além do mais, ela é leve, e isso permite que se formem mais raízes.

Você pode comprar a compostagem em lojas de plantas, mas, como é muito fácil fabricá-la, pode fazê-la você mesmo seguindo os passos da pág. 16.

Quando começar a semear, você deve encher os vasos ou copinhos com compostagem e deixar um espaço livre antes da borda. Assim, poderá colocar as sementes e depois cobri-las com mais compostagem.

Depois de aproximadamente um mês, seus mudas vão precisar de um vaso maior (de 30 cm de altura) para continuar crescendo.

Você deve prepará-lo com uma camada de pedrinhas na base e uma camada de compostagem por cima. Depois de posicionar as mudas, você deve terminar de encher o vaso com compostagem e pressionar levemente com as mãos em volta da base de cada muda para firmá-lo bem.

O que é compostagem?

Você sabia que quando faz compostagem reduz a contaminação ambiental e os dejetos? Isso porque a compostagem é uma mistura obtida pela decomposição de materiais secos, como papel e papelão, e materiais úmidos, como grama cortada e restos de vegetais (leia mais na pág. 19). Com a compostagem aproveitamos coisas que normalmente iriam para o lixo, mas que, com os cuidados necessários, se transformarão no melhor alimento para suas plantas.

Fabrique sua compostagem

Antes de começar a fazer a compostagem, você vai precisar montar um contêiner e deixá-lo ao ar livre, mas à sombra. Não é necessário muito espaço, porque você pode adequar o tamanho ao espaço que tiver em sua varanda, seu quintal ou seu jardim.

Peça ajuda a um adulto para este projeto.

Você vai precisar de:

* 1 CAIXOTE DE MADEIRA (peça um na quitanda).
* 1 PEDAÇO DE PLÁSTICO um pouco maior que a base do caixote.
* TACHINHAS.
* FOLHAS DE JORNAL.
* 1 TÁBUA DE MADEIRA DO TAMANHO DO CAIXOTE, com alguns furinhos.

1

Vire o caixote, cubra a base por fora com o pedaço de plástico e peça a um adulto que o prenda às bordas do caixote com as tachinhas.

2

Vire de novo o caixote e coloque várias camadas de jornal no fundo e nas laterais. Não se preocupe se ficarem espaços sem cobrir; isso permitirá que o ar circule dentro do caixote. Use a tábua como tampa para manter a composteira coberta.

3

Se quiser uma composteira maior, repita a operação com mais um ou dois caixotes do mesmo tamanho e vá empilhando-os à medida que os for enchendo. Nesse caso, tampe apenas o último caixote.

4

Agora sim você pode começar a fazer a compostagem. Comece adicionando uma camada grossa de materiais secos, que cubra toda a base do caixote. Depois, acrescente uma camada de materiais úmidos bem espalhados. Quanto menores forem, mais rápido se decomporão.

5

Com certeza vai levar vários dias para completar essa camada úmida, porque isso acontecerá conforme for gerando dejetos vegetais. Quando a completar, intercale de novo camadas secas e úmidas até encher o contêiner.

6

É importante que uma ou duas vezes por semana você mexa muito bem a mistura com a ajuda do rastelo, para que o ar entre em todo o caixote. O oxigênio do ar ajuda o material a se decompor e evita que apodreça e provoque mau cheiro.

7

Você precisa garantir que a mistura de materiais que for adicionando não seque em momento algum. Tem que ficar molhada igual a uma esponja recém-escorrida: úmida, mas sem pingar. Se seu caixote estiver à sombra, provavelmente você não precisará regá-lo. Faça isso somente se necessário.

8

Em 4 a 6 meses, quando a mistura houver se transformado em terra, pegue um punhado com as mãos. Se a terra se soltar facilmente, for leve e tiver um cheiro bom, a compostagem estará pronta para ser usada em seus vasos.

Para compostar

O que pode

Secos:

Galhos macios e fininhos, jornal e papelão cortados em pedaços pequenos.

Úmidos:

Casca e restos de verduras e frutas; casca de ovo triturada, grama fresca; folhas e flores murchas; ervas e saquinhos de chá, filtros de papel para café usados.

O que não pode

Secos:

Galhos grossos ou com espinhos, papel plastificado, papel impresso com tinta colorida, plástico, vidro.

Úmidos:

Restos de carnes e laticínios, frutas e verduras cozidas ou comida cozida.

Iniciação

Quando seus vasos estiverem prontos com compostagem, será hora de plantar. Segundo o projeto deste livro que escolher, você vai começar a plantação com sementes, mudas ou estolões.

Sementes

Se for começar a plantação com sementes frescas, verifique no envelope a data de validade na hora em que as comprar.

Se for usar sementes que você mesmo separou, não podem ter mais de dois anos. Do contrário, não germinarão.

Quando tiver as sementes e os vasos pequenos prontos com a compostagem, você poderá começar a semear.

1

Regue a compostagem do vaso. Se for usar sementes grandes (como as de beterraba), com o dedo indicador faça três buracos para enterrar uma semente em cada um. Se forem pequenas (como as de tomate, manjericão e alface), basta apoiar cada semente sobre a compostagem.

2

Coloque 3 sementes. Assim, se uma não germinar, você terá mais 2 oportunidades. Elas devem estar bem separadas para que tenham espaço suficiente para germinar.

3

Cubra as sementes com uma camada fina de compostagem. Depois, escreva em uma plaquinha o nome do que você semeou e a data, e espete-a na terra.

4

Leve os vasos para um lugar com sombra. Quando os primeiros brotos surgirem, você poderá levá-los para um lugar onde recebam a luz do sol.

Junte suas sementes

Uma vez que começar a produzir seus vegetais, você poderá colher suas sementes. Para isso, deixe sua planta florescer e espere que o fruto se forme e amadureça. Quando isso acontecer, você vai encontrar dentro as sementes. Isso é igual para todas as plantas.

Com frutos como o tomate, basta abri-lo, separar as sementes da polpa e deixá-las secar ao sol sobre papel absorvente por um ou dois dias.

Depois, guarde-as em um envelope de papel com o nome da planta e a data da coleta, em um lugar fresco e seco.

De outros vegetais, como a alface ou o manjericão, comemos só as folhas.

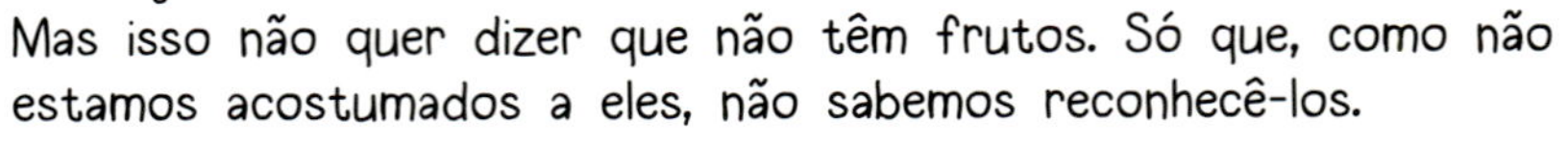

Mas isso não quer dizer que não têm frutos. Só que, como não estamos acostumados a eles, não sabemos reconhecê-los.

Para colher sementes, deixe a planta florescer e espere que as flores se transformem em frutos. Então, colha os frutos, remova as sementes e guarde-as em envelopes de papel com a data de coleta e o nome da planta, em um lugar seco e fresco. Se isso for difícil de fazer, sugerimos que use sementes compradas.

Mudas

Quando decidir plantar morangos, você vai começar com mudas, ou seja, plantinhas que se formam em sementeiras. São usadas quando é muito difícil que a planta cresça a partir da semente ou quando queremos pular a etapa de semeadura.

Antes de comprá-las, você deve verificar se estão em bom estado, com as folhas saudáveis.

Estolões

Algumas plantas, como o morango, depois que crescem e acabam de dar frutos, podem se multiplicar a partir de seus estolões, uns caules bem compridos e finos que saem da planta. Cada um desses estolões pode formar uma nova planta.

Para isso, coloque um vaso pequeno com compostagem ao lado da planta e enterre o estolão, sem cortá-lo e sem que fique esticado.

Depois de 15 dias ele terá criado raízes e sairão novas folhas.

Nesse momento, já estará pronto para ser cortado da planta-mãe com uma tesoura.

Rega

Você sabia que as plantas não precisam de água só para se hidratar, mas também para absorver os nutrientes da terra?

Desde que plantamos as sementes até que saem os brotos, as plantas têm poucas e pequenas raízes, de modo que vão precisar que você as regue todos os dias, em forma de uma chuva fina. À medida que as plantas forem crescendo e desenvolvendo suas raízes, vão precisar de regas mais espaçadas, a cada 2 ou 3 dias – mas terão que receber maior quantidade de água de cada vez. Assim, as raízes vão se estender cada vez mais fundo e poderão absorver mais nutrientes da terra.

A frequência da rega também dependerá da estação do ano. Na primavera e no verão, a rega será mais frequente que no outono e no inverno, já que o calor e o crescimento das plantas farão que a terra seque mais rápido.

À medida que você for aprendendo sobre o clima do lugar onde mora e suas plantas, vai conhecer suas necessidades e saberá com que frequência regar.

É importante que, quando regar, a água caia sobre a terra, para que vá direto para as raízes. É melhor não molhar as folhas, pois isso pode causar umidade e algumas doenças.

Evite regar quando as plantas estiverem ao Sol. O momento ideal do dia para a rega é de manhã cedo ou à tarde, quando o Sol baixa.

Quando regar

Pouca água pode ser ruim para a planta, mas muita água, também. Antes de regar, verifique a umidade da terra. Afunde a ponta do dedo indicador no vaso. Se a terra estiver úmida, não será necessário regar; se estiver seca, então sim. Muitas vezes, a camada de cima da terra está seca, mas embaixo está úmida.

Como saber se reguei o suficiente?

Para saber se você regou o suficiente, observe a base do vaso: se a água sair por baixo, isso quer dizer que chegou às raízes da planta e ela não precisa de mais água.

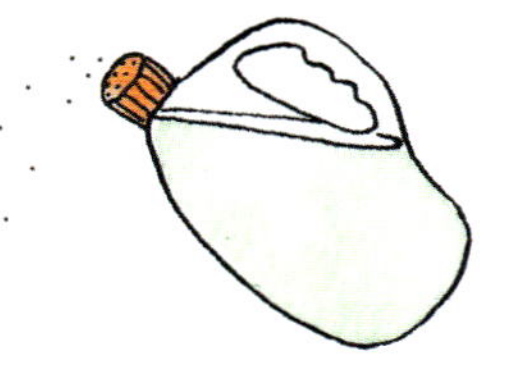

Fabrique um regador

Você vai precisar de:

*UMA GARRAFA PLÁSTICA ou um garrafão pequeno com alça e tampa.

*UM PREGO FINO.

*UMA PINÇA.

Como fazer:

Limpe bem a garrafa ou o garrafão e a tampa com água. Peça a um adulto que segure o prego com a pinça durante alguns segundos sobre a chama do fogão. Depois, peça que pegue a tampa e faça vários furos com o prego quente. Uma vez perfurada a tampa, coloque-a no garrafão cheio de água e regue suas plantas. A tampa funcionará como o bico de um regador comprado, e a água sairá pelos furinhos em forma de chuva.

Transplante

Suas sementes germinarão e brotarão dentro de vasos ou recipientes pequenos no interior de sua casa, mas depois de um mês, quando suas mudas atingirem entre 5 e 7 cm de altura (dependendo do vegetal), você terá que passá-las para um vaso maior, onde elas poderão crescer confortáveis. Essa tarefa se chama transplante.

Suas plantas deverão se acostumar lentamente a passar de um lugar protegido e à sombra à exposição ao sol, fora de casa. Do contrário, elas poderão sofrer e estragar.

Para ajudar as plantas a se adaptar, quando você vir os primeiros brotos leve os vasos ao ar livre, debaixo do sol. Mas à noite, no inverno, você deve pô-las ao abrigo do frio.

Também existem plantas, como a beterraba, que não resistem ao transplante. Por isso, devem ser semeadas e crescer diretamente em um vaso grande.

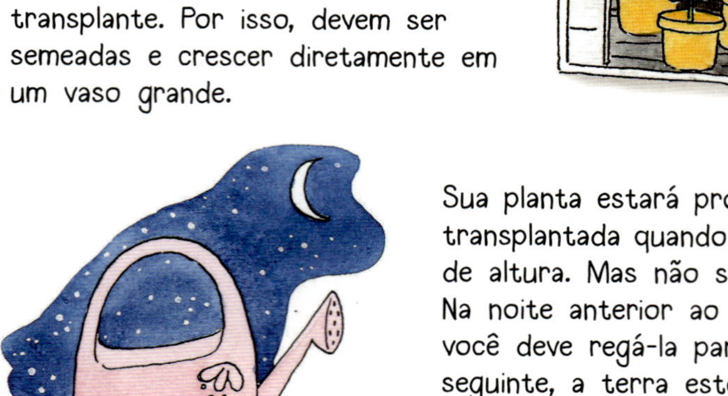

Sua planta estará pronta para ser transplantada quando tiver 5 a 7 cm de altura. Mas não se apresse! Na noite anterior ao transplante você deve regá-la para que, no dia seguinte, a terra esteja úmida e seja mais fácil retirá-la do vaso.

1

Espere o entardecer para fazer o transplante. Prepare um vaso de 30 a 40 cm de altura para cada muda. Uma alternativa é preparar um vaso bem grande e pôr todas as mudas nele, mas separadas entre si. Coloque uma camada de pedras e, em cima, a compostagem, deixando 12 cm livres na parte de cima do vaso. (Volte às pág. 14 e 15 para recordar como fazer).

2

Se você tiver só uma muda em um vaso pequeno, segure-a com uma mão e apoie a outra sobre a terra, com os dedos abertos, de modo que o caule fique entre eles. Vire o vaso para retirar a planta junto com o torrão de terra completo, com muito cuidado (como na imagem da pág. 26). Se você começou a semeadura com várias sementes em um vaso grande e todas germinaram, vai precisar separar as mudas para transplantá-las uma a uma. Para isso, com uma pá, desmanche apenas o torrão de terra, sem quebrar as raízes.

3

Apoie cada muda sobre a camada de compostagem no novo vaso. Acabe de encher o espaço livre com compostagem, até a base do caule. Pressione suavemente a terra para firmar.

4

Regue a terra, e, se o nível da compostagem baixar, acrescente um pouco mais. Leve os vasos a um lugar semissombreado. Para isso, peça ajuda a um adulto, pois é muito provável que estejam pesados. Ali eles ficarão durante dois dias, e depois você poderá levá-los ao sol.

Escora

À medida que vão crescendo, algumas plantas precisam de escora para crescer retas; por exemplo, o tomate. Isso se deve ao fato de ter galhos compridos e frutos pesados e também à ação do vento. Como você vai plantar em vasos, é muito importante que suas plantas cresçam no sentido vertical ou para os lados, mas nunca para baixo, porque podem estragar.

Para ajudá-las a se sustentar, realizamos a escora, ou seja, espetamos no vaso um galho, um bambu ou uma vareta para que a planta se apoie.

É importante fazer isso quando a planta é jovem, antes que seus galhos se dobrem pelo peso de seus frutos.

Fabrique uma escora

Arranje um galho firme, um palito de madeira ou um bambu mais alto que a planta. Espete a escora no vaso, perto do caule. Assegure-se de que fique bem firme na terra, mas não o espete muito profundo para não quebrar as raízes.

À medida que a planta for crescendo, vá amarrando os galhos na escora com linha de algodão. Lembre que isso é para ajudar a planta. É uma tarefa muito simples, mas que deve ser feita com delicadeza.

Como cuido de minhas plantas?

O frio

Muitas plantas começam a dar frutos na primavera. Para isso é necessário plantar as sementes no inverno. Isso quer dizer que quando chegarem as temperaturas mais baixas essas sementes terão se transformado em mudas. Nesse momento, será muito importante que você as proteja do frio. Talvez você não consiga levar esses vasos para dentro de casa quando fizer frio. Mas poderá fabricar protetores para as mudas, que você retirará quando houver sol ou a temperatura subir.

Fabrique um protetor

Arranje 2 pedaços compridos de arame fino e 1 saco plástico transparente, grande o suficiente para cobrir a planta toda até a terra.

Coloque os arames formando dois arcos cruzados que fiquem acima dos caules e das folhas da planta e enterre as pontas de cada um nos cantos de um quadrado imaginário. A seguir, coloque o saco plástico por cima da estrutura que você formou com os arames e amarre-o na base.

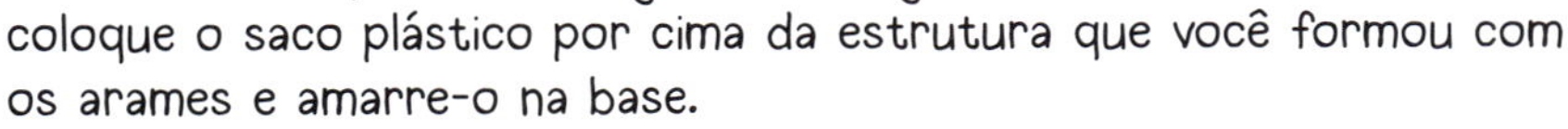

Você também pode arranjar um garrafão de água de 5 ou 6 litros e pedir a um adulto que retire a base, para que possa apoiá-lo sobre a terra e a muda fique dentro do recipiente. A tampa do garrafão servirá como válvula para regular a entrada de ar. Quando a temperatura subir um pouco, você poderá tirar a tampa e depois retirar o protetor. Lembre que toda mudança deve ser gradual para as plantas.

O mato

O mato é formado por plantas (ervas daninhas) que crescem sozinhas na terra e roubam nutrientes, luz e água das plantas. E como você quer que suas plantas cresçam fortes, todo o alimento e a energia devem ser para elas. É por isso que uma das tarefas que você deve fazer todas as semanas é tirar o mato, ou seja, arrancar pela raiz esses brotos, para que não tornem a crescer.

Use uma pá ou um rastelo e aproveite para fazer isso depois de uma chuva ou da rega; assim, o mato sairá facilmente.

A cobertura do solo

Uma boa forma de prevenir o crescimento de mato é cobrir a terra que cerca as plantas com pedacinhos de casca de árvore, que você pode encontrar em lojas de plantas.

Procure deixar um espaço entre a camada de cascas e o caule da planta.

Essa camada de casca também vai ajudar a conservar a umidade e a temperatura do vaso. Lembre que suas plantas não devem sofrer frio intenso.

Quando você plantar morangos, vai ver que este passo é muito importante.

Como a planta não chega a uma grande altura, o peso dos frutos fará que encostem na terra. Assim, você deve evitar que os morangos entrem em contato com a terra úmida, porque podem apodrecer. Para isso, nada melhor que colocar uma camada de cobertura.

Os pássaros

É muito agradável receber a visita dos pássaros em sua varanda, quintal ou jardim e ouvi-los cantar.

Mas isso desde que suas plantas estejam protegidas, porque eles podem comê-las! Para manter os pássaros longe de seus vasos, você pode montar um sistema que os espante.

Monte uma tela em volta dos vasos ou pendure vários CDs velhos. O reflexo da luz vai incomodar as aves e impedir que se aproximem.

Fabrique uma tela

Com alguns galhos pequenos, linha de náilon ou algodão, você pode impedir que os pássaros se aproximem de suas plantações.

Para isso, espete alguns galhos mais altos que suas plantas ao redor do vaso e amarre-os entre si com linha de algodão preta ou de náilon transparente para formar uma tela.

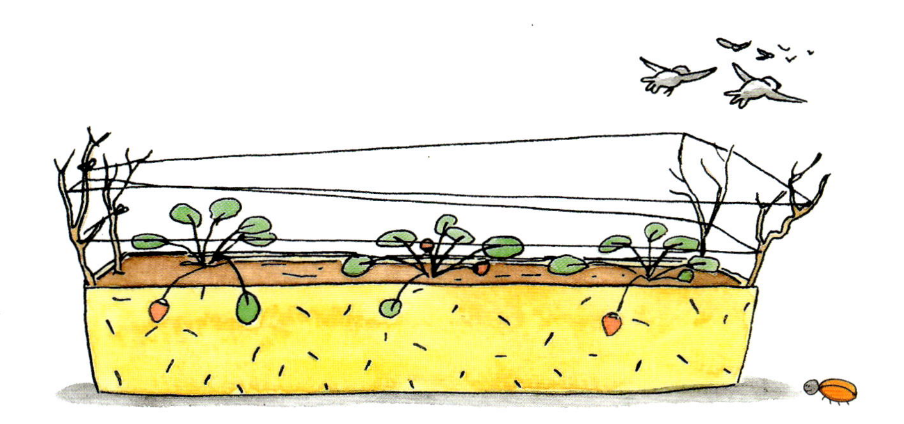

As pragas mais comuns

Com certeza você vai ver vários bichinhos entre suas plantas. Alguns, como as abelhas, as minhocas e as joaninhas, colaboram no cuidado das plantas. Outros, como os pulgões, as formigas, os caracóis e as lesmas, estragam folhas, frutos e raízes ao comê-los.

Se você der a suas plantas todos os cuidados que necessitam, desde o correto preparo do vaso até todas as outras tarefas semanais, elas mesmas espantarão os insetos nocivos e atrairão os bons. Porém você precisa estar atento, porque eles podem aparecer do mesmo jeito.

Formigas

Aparecem à noite e comem as folhas das plantas. Para que não voltem, saia com uma lanterna e coloque grãos de arroz em seu caminho. Elas os levarão ao formigueiro, confusas, e não tornarão a comer suas plantas.

Pulgões

São insetos muito pequenos que mordem as plantas e as enfraquecem. É importante que você os elimine assim que os vir, porque eles podem contagiar outras plantas saudáveis. Se houver joaninhas visitando seus vasos, elas vão comer os pulgões. Mas se não contar com a ajuda delas, pulverize a planta com uma mistura de água e sabão para acabar com eles.

Tatuzinhos-de-jardim

Você pode encontrá-los na terra, se estiverem na compostagem, e tudo bem. Mas, na horta, eles podem comer as raízes das plantas, portanto é melhor tirá-los com a mão.

Caracóis e lesmas

Eles se alimentam à noite e preferem os brotos novos e tenros. Cheque minuciosamente cada cantinho de seus vasos com uma lanterna. Quando vir um caracol ou uma lesma, retire-o e jogue-o longe. Para prevenir seu ataque, espalhe casca de ovo triturada sobre a terra dos vasos.

O que pode e o que não pode ficar

Podem ficar: abelhas, besouros, minhocas, mariposas-colibri e joaninhas.

Devem ir embora: formigas, lesmas, caracóis, tatuzinhos-de--jardim, pulgões, lagartas.

Tomate

Quando começar:

Você vai precisar de:

* 4 VASOS MÉDIOS
* 1 JARDINEIRA GRANDE
* PEDRINHAS
* COMPOSTAGEM
* SEMENTES DE TOMATE
* 1 PLAQUINHA
* 1 ESCORA
* LINHA DE ALGODÃO

Pragas:

Manchas nas folhas, ácaro rajado, percevejo mosca-branca e lagarta.

O tomate é uma hortaliça que cresce em climas quentes, na primavera e no verão, e dá frutos desde o fim da primavera até o outono.

Uma única planta pode dar muitos frutos, que são muito mais saborosos que os comprados. É ideal semeá-lo desde meados do inverno, mas é preciso proteger muito bem as mudas do frio.

Você pode utilizar mudas compradas ou fazer as plantas a partir da semente, já que é muito fácil e divertido.

Existem muitas variedades de tomate: cereja, pera, carmem, italiano, em cachos... Escolha o que mais gostar para este projeto. O procedimento é o mesmo para todas as variedades.

DIA 1

DIA 10

DIA 25

DIA 35

DIA 90

1

Arranje sementes frescas e de uma variedade que lhe agrade. Você pode comprá-las em uma loja ou tirá-las de um tomate que tenha comido (leia como fazer isso na pág. 22).

2

Encha um vaso médio (de uns 15 cm de altura) com compostagem. Regue-o bem antes de colocar as sementes. Pode preparar vários vasos. Assim, terá plantas para dar de presente a seus amigos.

3

Coloque 3 sementes em cada vaso e cubra-as com uma camada muito fina de compostagem. Escreva em uma plaquinha a data e o que semeou, e espete-a na terra.
Leve o vaso a um lugar sombreado e protegido do frio.
Regue a terra toda vez que vir que está seca. Se estiver úmida, não é necessário regar.

4

Depois de 7 a 10, dias as sementes começarão a germinar. Quando isso acontecer, leve os vasos a um lugar mais luminoso, onde possam receber a luz do sol durante o dia. Se à noite cair muito a temperatura (a menos de 8 °C), ponha as plantas para dentro (leia como fazer isso na pág. 29).

5

Se todas as sementes germinaram, você vai ter que separá-las com cuidado e transplantar cada mudinha para um vaso individual. Faça isso quando tiverem atingido 5 a 7 cm de altura.

6

Uma vez transplantadas, regue-as bem e leve-as a um lugar com sol. Sempre proteja as plantas do frio à noite.

7

Quando as plantas estiverem com 20-30 cm e não houver risco de geada, você pode transplantá-las para um vaso maior, com 30 cm de distância uma da outra. Lá ficarão definitivamente, crescerão e darão seus frutos.

8

Como o tomateiro tem galhos compridos e finos, uma vez que o houver transplantado, faça escoras (leia como fazer isso na pág. 28). Assim, quando os frutos crescerem, você evitará que, por seu peso, entrem em contato com a terra e apodreçam.

9

É importante que durante o crescimento você retire os brotos que nascem nas axilas das folhas, assim a energia da planta se concentrará no caule principal e dará tomates melhores.

10

Uma vez que os tomates estejam com seu vermelho característico, chegou a hora tão esperada.
Já estarão prontos para ser colhidos e saboreados.

Espetinhos de tomate

VOCÊ VAI PRECISAR DE:

- PARA 16 ESPETINHOS -

* 16 muçarelas de búfala
* 16 tomates-cereja limpos
* 16 folhas de manjericão limpas
* 16 espetinhos de madeira

COMO FAZER

Corte os tomates-cereja ao meio. Pegue uma folha de manjericão, atravesse-a com um espetinho e deslize-a até a ponta. Espete uma das metades de tomate e deslize-a para que fique junto com o manjericão. Acrescente uma muçarela de búfala e a outra metade do tomate. Monte assim os 16 espetos e depois arrume-os em um prato.

Alface

Quando começar:

Você vai precisar de:

* 1 VASO MÉDIO
* 1 JARDINEIRA GRANDE
* PEDRINHAS
* COMPOSTAGEM
* SEMENTES DE ALFACE
* 1 PLAQUINHA

Pestes:

Pulgão.

A alface é uma hortaliça que cresce em climas quentes, temperados e frios.

Por ter um crescimento rápido, pode começar a ser colhida a partir de 60 a 120 dias depois da semeadura.

Existem muitas variedades de alface que você pode escolher para plantar: americana, crespa, lisa, roxa...

Em todos os casos, as plantas viverão entre 2 e 4 meses; mas, se quiser ter alface fresca o ano todo, à medida que as for arrancando para comer vai precisar semear novas plantas.

DIA 1

DIA 7

DIA 20

DIA 30

DIA 60

1

Arranje sementes frescas e de uma variedade que lhe agrade. Pode comprá-las em alguma loja de plantas. Não se esqueça de prestar atenção à data de vencimento que consta no envelope.

2

Prepare um vaso médio (de uns 15 cm) com pedras e compostagem (leia como fazer isso na pág. 14). Regue-o bem antes de colocar as sementes. Pode preparar vários vasos. Assim, você terá plantas para dar de presente a seus amigos.

Coloque no vaso 3 sementes bem separadas uma da outra e cubra-as com uma camada muito fina de compostagem. Escreva em uma plaquinha a data e o nome do que semeou, e espete-a na terra. Leve o vaso a um lugar semissombreado. Regue a terra todos os dias ou quando vir que está começando a secar.

4

Depois de 7 dias, as sementes começarão a germinar. Quando isso acontecer, leve o vaso a um lugar onde possa receber sol durante o dia.

5

Quando as mudas tiverem entre 5 e 10 cm de altura, transplante-as para vasos individuais (leia como fazer isso na pág. 26). Também pode colocar as 3 mudas no mesmo vaso, mas lembre que deve haver uma distância de 20 cm ou mais entre cada uma. Para isso, é conveniente usar jardineiras retangulares.

6

Quando terminar o transplante, regue as mudas. Depois, peça ajuda a um adulto para levar o vaso ou a jardineira a um lugar com sol.
É importante controlar a umidade da terra e regar sempre que a vir seca; assim, nunca faltará água a suas plantas, nem as regará demais.

7

É importante que não cresça mato em volta de suas plantas, porque, se crescer, ele vai se alimentar dos nutrientes que houver no vaso e não sobrará nada para suas alfaces. Toda semana você deve checar se cresceu mato (leia como fazer isso na pág. 30).

8

À medida que a alface for crescendo, você pode cortar algumas folhas externas com a tesoura ou com a mão, para comê-las na salada.

Quando as plantas estiverem grandes e fortes, pode cortá-las inteiras com uma tesoura. Corte uns 5 cm acima da terra. Depois de 1 ou 2 semanas, algumas variedades de alface darão novos brotos, que crescerão, e você poderá cortar de novo.

Wraps de alface

VOCÊ VAI PRECISAR DE:

- PARA 6 WRAPS -

* 8 folhas de alface-americana limpas e secas
* 2 latas de atum em pedaços
* 100 g de cream cheese
* 4 fatias de queijo
* 3 tomates-cereja cortados em rodelas
* Sal a gosto
* Linha de algodão

COMO FAZER

Misture o cream cheese com o atum. Coloque duas folhas de alface, uma sobre a outra, em um prato e, por cima, uma fatia de queijo. Coloque uma colherada grande da mistura de atum. Espalhe a mistura sobre a alface e polvilhe uma pitada de sal. Acrescente três rodelas de tomate. Enrole as folhas com cuidado, para que a alface não quebre e o recheio não saia pelas bordas. Ate com uma linha de algodão cada rolinho para que não desmanche. Repita até formar todos os rolinhos. Sirva em um prato grande.

Morango

Quando começar:

Você vai precisar de:

* 1 VASO GRANDE
* PEDRINHAS
* COMPOSTAGEM
* 3-5 MUDAS DE MORANGO
* 1 PLAQUINHA
* CASCA DE ÁRVORE

Pragas:

Apodrecimento dos frutos, formigas, aves.

O morango é um tipo de planta que vive e dá frutos por muitos anos.

É uma planta rasteira. Isso significa que pode desenvolver raízes só de ficar apoiada na terra. Você já vai ver como.

Cresce em climas frios e temperados. Por isso, você pode começar a plantá-lo desde o final do outono até o começo da primavera.

Em meados da primavera, quando o clima fica mais quente, as plantas começam a florescer. Uns dias depois, essas flores se transformam em deliciosos morangos.

DIA 1

DIA 15

DIA 20

DIA 30

DIA 60

1

Compre mudas em alguma loja. Dependendo da região onde você mora, poderá encontrá-las entre os meses de março e maio. Cada planta vai dar uns 10 a 15 morangos aproximadamente, de modo que é conveniente você comprar, pelo menos, de 3 a 5 mudas. Quando estiverem em sua casa, regue bem a terra.

2

No dia seguinte, transplante as mudas. Para isso, prepare uma jardineira grande (leia como fazer isso na pág. 27).

3

Pegue cada muda, apoie os dedos de uma das mãos sobre a terra, sem machucar as folhas, e vire o vaso. Com os dedos da outra mão, pressione suavemente a base do vaso para amolecer o torrão de terra. Retire-o com cuidado.

4

Coloque cada muda dentro da jardineira preparada. Entre uma e outra deve haver uma distância de aproximadamente 20 a 30 cm. Acrescente mais compostagem em volta de cada uma para cobrir bem as raízes. Pressione suavemente a terra com as mãos, para que fique bem firme.

5

Escreva em uma plaquinha a data e o nome do que você semeou, e espete-a na terra. Depois, regue a terra até que a água saia pelo furo embaixo do vaso.

6

Para evitar que cresça mato, coloque uma camada de casca de árvore, que cubra toda a terra. Quando os morangos começarem a crescer, não ficarão em contato com a terra úmida e não correrão risco de apodrecer.

7

À medida que a primavera for se aproximando, suas plantas começarão a dar umas flores brancas. Com o tempo, essas flores irão perdendo as pétalas e se transformarão em morangos. No início, o fruto será verde-claro.

8

Proteja os morangos dos ataques dos pássaros. Para isso, faça uma cerca com galhos e linha (leia como fazer isso na pág. 31).

9

Quando vir que os morangos estão bem vermelhos, é hora da colheita. Com muita delicadeza, arranque cada um da planta.

10

Quando a planta não der mais frutos, começarão a crescer estolões, ou seja, caules com algumos brotos na ponta. Quando isso acontecer, coloque um vaso pequeno com compostagem ao lado da jardineira, pegue o estolão e enterre-o no vaso pequeno, sem cortá-lo. Cuidado para que não fique esticado. Regue a terra. Faça o mesmo com cada estolão (leia mais na pág. 50).

11

Depois de duas semanas, corte os estolões para separá-los da planta original. Assim, você terá plantas novas.

Pavê de morango

VOCÊ VAI PRECISAR DE:

- PARA 4 PORÇÕES -

* 4 biscoitos champanhe
* 1 xícara de suco de laranja
* 100 g de açúcar
* 1 kg de morangos
* 12 colher (sopa) de doce de leite
* 400 g de chantili
* Suspiros

COMO FAZER

Em um copo de boca larga, coloque uma camada de biscoitos champanhe quebrados. A seguir, acrescente uma camada de morangos (previamente macerados no suco de laranja com o açúcar). Acrescente uma camada generosa de doce de leite, depois outra de morango e, por fim, uma camada de chantili. Decore com suspiros. Repita em cada copo.

Manjericão

Quando começar:

Você vai precisar de:

* 4 VASOS MÉDIOS
* PEDRINHAS
* COMPOSTAGEM
* SEMENTES DE MANJERICÃO
* 1 PLAQUINHA

Pragas:

Não tem.

O manjericão é uma planta aromática, ou seja, o tipo de planta que se usa para dar um sabor especial à comida.

Existem muitas variedades de manjericão, algumas de sabor doce, outras de sabor picante. Suas folhas podem ser verdes ou roxas, muito pequenas ou grandes, até do tamanho de uma folha de alface.

O manjericão é muito sensível a geadas. Cresce em climas quentes, por isso é semeado durante a primavera; e suas folhas podem começar a ser colhidas 50 a 60 dias depois.

Três plantas darão folhas suficientes para você usar em seus pratos durante a primavera, o verão e o outono.

DIA 1

DIA 15

DIA 20

DIA 30

DIA 60

1

Arranje sementes frescas e de uma variedade que lhe agrade. Você pode comprá-las em uma loja de plantas. Não se esqueça de observar a data de vencimento que consta no envelope.

2

Prepare um vaso médio (leia como fazer isso na pág. 14). Regue a compostagem antes de colocar as sementes. Você pode preparar vários vasos, assim terá plantas para dar de presente a seus amigos.

3

Coloque 3 sementes no vaso e cubra-as com uma camada muito fina de terra. Escreva em uma plaquinha a data e o nome do que você semeou, e espete-a na terra. Leve o vaso a um lugar sombreado e protegido do frio. Regue a terra todos os dias ou quando vir que está começando a secar.

4

Depois de 8 a 10 dias começarão a germinar as sementes. Não se preocupe se não germinarem as 3 sementes que você plantou. É muito comum que isso ocorra. Quando germinarem, leve o vaso a um lugar mais luminoso, onde possa receber a luz do sol durante o dia.

5

Se à noite baixar muito a temperatura (menos de 8° C), ponha as plantas para dentro (leia como fazer isso na pág. 29).

6

Quando as mudas medirem entre 5 e 10 cm de altura, você pode transplantá-las para vasos maiores (leia como fazer isso na pág. 26), onde vão ficar definitivamente. Se preferir plantar todas em um mesmo vaso, lembre que a distância entre as mudas deve ser de 20 a 30 cm.

7

Uma vez transplantadas, regue-as bem e leve-as a um lugar com sol, sempre protegendo-as durante a noite se a temperatura for menor de 8° C (leia mais na pág. 28).

8

À medida que a manjericão for crescendo, você pode ir colhendo as folhas para usá-las em seus pratos. Para isso, corte com uma tesoura as folhas junto com o talinho, para não machucar a planta.

9

É importante que durante o crescimento você corte a ponta da planta uma vez por semana, com uma tesoura. Assim, evitará que as flores nasçam, porque, quando a planta começa a florescer, deixa de dar boas folhas.

Patê de manjericão com cream cheese

VOCÊ VAI PRECISAR DE:

- PARA 1 PORÇÃO -

* 100 g de manjericão fresco
* 250 g de cream cheese
* Sal e pimenta a gosto

COMO FAZER

Coloque o manjericão em uma tábua de cortar vegetais e pique-o bem fininho. A seguir, misture em um recipiente o cream cheese e o manjericão picado até que fiquem bem integrados. Acrescente sal e pimenta a gosto.
Ideal para passar em palitinhos de vegetais (como cenoura ou aipo) e grissinis.

Beterraba

Quando começar:

Você vai precisar de:

* 1 JARDINEIRA RETANGULAR GRANDE
* PEDRINHAS
* COMPOSTAGEM
* SEMENTES DE BETERRABA
* 1 PLAQUINHA

Pragas:

Manchas nas folhas.

A beterraba é uma hortaliça que cresce durante o ano todo. Pode ser semeada em qualquer estação, desde que as temperaturas se mantenham entre os 14 e os 22 °C. Por isso, é recomendável que você comece a semeadura nos meses de outono ou primavera.

Ela é muito famosa por sua raiz, que é grossa, bordô escuro, muito doce e comestível.

Cresce muito rápido. Por isso, você poderá começar a colhê-la a partir de 70 a 120 dias depois da semeadura.

DIA 1

DIA 15

DIA 20

DIA 30

DIA 70

1

Arranje sementes frescas. Você pode comprá-las em uma loja de plantas. Não se esqueça de ver a data de vencimento que consta no envelope.

2

Prepare uma jardineira retangular (de aproximadamente 50 cm de comprimento) com compostagem (leia como fazer isso na pág. 14). Com a pá, faça pequenos sulcos na terra, no centro e no comprimento do vaso, e faça 6 buraquinhos com o dedo indicador nos sulcos. Deixe um espaço de 5 a 8 cm entre um e outro. Coloque duas sementes em cada buraco, ou seja, 12 no total, e cubra-as com uma fina camada de compostagem.

3

Escreva em uma plaquinha a data e o nome do que você semeou, e espete-a na terra. Regue o vaso com um regador com furinhos finos como uma chuva, sobre a área onde você colocou as sementes.

4

Em 8 a 10 dias você vai ver que vão começar a sair umas folhinhas verdes. Quando isso acontecer, continue regando, de modo a manter a terra úmida mas não encharcada.

5

Se as duas sementes que semeou em cada buraco germinarem, você verá dois brotos juntos. Levante um deles com cuidado para que a raiz não quebre e transplante-o para outro vaso já preparado (leia como fazer isso na pág. 14), já que é conveniente que fique somente uma planta a cada 5 a 10 cm. Do contrário, elas não terão espaço suficiente para crescer. Se o broto não sair com a raiz, descarte-o.

6

À medida que as beterrabas forem crescendo, corte algumas folhas e use-as para fazer saladas, tortas ou fritadas.

7

As beterrabas estarão prontas para colher quando a parte superior, ou seja, seus ombros, aparecerem acima da superfície da terra. É conveniente que quando isso ocorra você as colha de imediato; assim, aproveitará seu sabor doce e sua textura macia.

8

Para tirá-las da terra, pegue a planta pela base das folhas e mexa delicadamente de um lado para o outro para amolecer a terra. Continue fazendo esse movimento até que consiga levantar a beterraba sem fazer força.

Suco de beterraba

VOCÊ VAI PRECISAR DE:

- PARA 2 COPOS -

* 2 beterrabas pequenas ou 1 grande
* 1 banana
* 2 copos de suco de laranja

COMO FAZER

Lave muito bem a beterraba, descarte as folhas e descasque-a com cuidado. Corte-a em pedaços pequenos. Descasque a banana e corte-a em rodelas.
Coloque todos os ingredientes no liquidificador. Com a supervisão de um adulto, bata até obter uma mistura homogênea.
Sirva em copos altos ou em garrafas. Se quiser, acrescente gelo.